P9-EBY-321

 晨风童书 儿童易学实用美术手工丛书

趣味
分步学画
大全

易学易画
快乐体验

长春出版社
全国百佳图书出版单位
吉林银声音像出版社

"爱玩"是孩子的天性。我们不仅要尊重孩子的天性，还要教会他们玩的方法，让孩子在玩中获得快乐，在玩中茁壮成长。因为玩是促进孩子身心发展的重要途径之一。手工是孩子最爱玩的一种指尖游戏。著名教育家苏霍姆林斯基曾指出，"孩子的智能在他的手指尖上"，就是说，孩子高度灵活的动手能力能够带动大脑智能和性格的发展。当孩子动手做手工的时候，

就是在锻炼手部精细动作以及触觉和视觉，不但可以培养孩子的创造力、手眼协调能力、观察事物特征的能力，还能提高专注力，培养孩子的耐心和自信心。

★ 目 录 ★

图形变变变

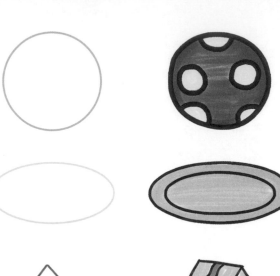
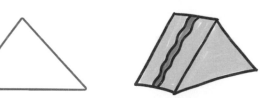

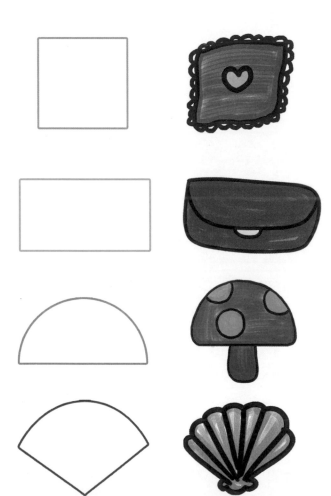

芒 果

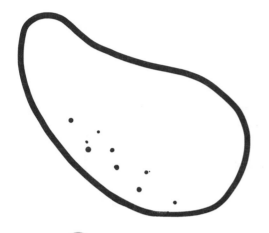

① 小头大身花肚子

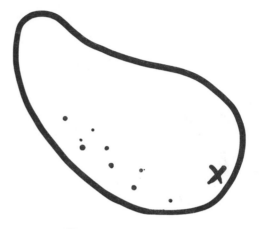

② 绣个十字补裤子

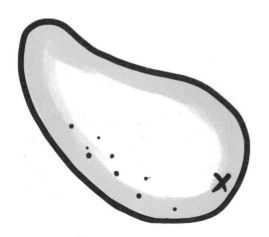

③ 先从边缘慢慢涂

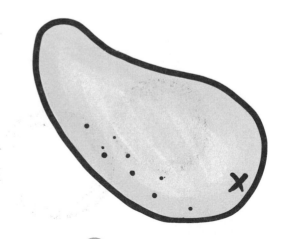

④ 芒果好吃又好看

1

樱 桃

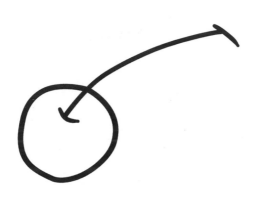

① 一个樱桃好孤单

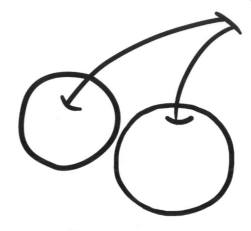

② 赶快叫来小伙伴

③ 红色要从边缘涂

④ 涂满樱桃才变熟

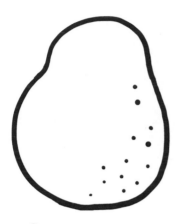

① 圆脸半边粘芝麻

② 头上扎个小辫子

③ 黄色沿边涂仔细

④ 涂完变成大鸭梨

苹果

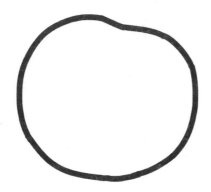

① 皮球大又圆

② 小苗长中间

③ 红绿分清楚

④ 苹果脆又甜

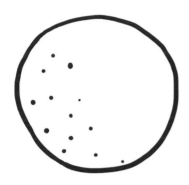

① 芝麻爬满半边圆

② 树枝树叶都长全

③ 黄色圆圈绿枝叶

④ 橘子好吃酸又甜

桃子

① 心形尖上添一笔

② 两片叶子凑一起

③ 粉绿沿边涂仔细

④ 咬上一口甜蜜蜜

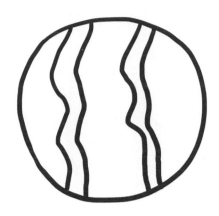

① 皮球两道杠

② 尾巴上面放

③ 浅绿涂大面

④ 深绿涂杠杠

① 两个月牙玩倒立

② 又来一个凑上去

③ 黄色衣裳慢慢穿

④ 香蕉好吃又好看

① 小树叶，纸上趴

② 画个家，点芝麻

③ 先从边缘慢慢涂

④ 再到里面快快刷

葡萄

① 叶子长在枝干旁

② 下面六颗珍珠藏

③ 紫色绿色涂仔细

④ 吃上一口甜如蜜

石 榴

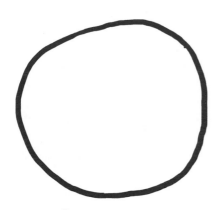

① 圆圆大脑袋

② 头顶帽子歪

③ 一笑咧开嘴

④ 牙齿露出来

⑤ 黄牙红脸蛋

⑥ 嬉闹石榴开

11

菠萝

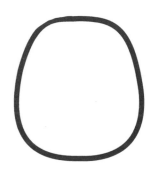
① 圆圆大脸蛋

② 头发像刀片

③ 穿上格外衣

④ 上面画小点

⑤ 绿发配黄脸

⑥ 菠萝真好看

① 一颗大鸭蛋

② 头顶戴皇冠

③ 小草身上爬

④ 左右不能落

⑤ 红色涂边缘

⑥ 涂满模样变

黄 瓜

① 弯弯月牙当空挂

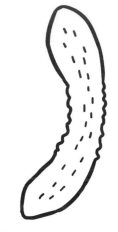

② 黑色小点里面画

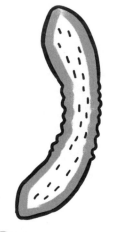

③ 涂成绿色变黄瓜

④ 营养丰富人人夸

① 小草帽，纸上画

② 脸儿太长罩不下

③ 深紫浅紫要分清

④ 颜色涂满才算行

红辣椒

① 小星星，长尾巴

② 头上顶着大月牙

③ 绿色红色要涂好

④ 辣椒红红辣嘴巴

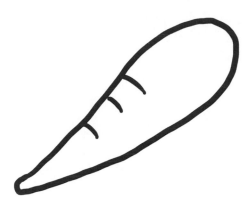

① 圆头尖尾三条线

② 头上小花看得见

③ 橙色身子黄色花

④ 我们大家爱吃它

① 心形上面一条线

② 小树发芽在上面

③ 红色沿边涂仔细

④ 上面绿色别忘记

① 一个椭圆纸上画

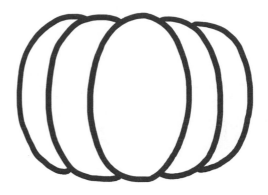

② 四个半圆两边挂

③ 用绳穿起涂颜色

④ 变出一个大南瓜

蘑菇

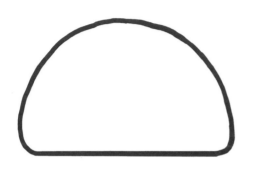

① 一座山包纸上现

② 添上几笔变花伞

③ 黄色橙色要分辨

④ 涂完蘑菇看得见

① 长胡须，大花脸

② 戴上帽子美翻天

③ 红色绿色涂边缘

④ 萝卜清脆有点甜

① 一棵小树倒路边

② 大树看见抱胸前

③ 绿色边缘仔细涂

④ 变成白菜脆又甜

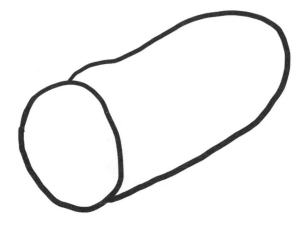

① 脑圆身体长

② 花瓣顶头上

③ 黄色沿边涂

④ 莲藕营养足

① 脑袋大，身子小

② 下面一个只露脚

③ 上面两笔下一笔

④ 画个弯钩放一起

⑤ 绿色边缘细细涂

⑥ 青椒好吃又好看

① 一块小方砖

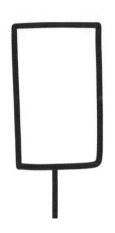

② 一根竹签穿

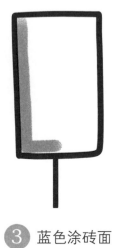

③ 蓝色涂砖面

④ 雪糕看得见

冰激凌

① 三角形，尾巴尖

② 小小火焰在上边

③ 黄色蓝色要涂清

④ 涂完变成冰激凌

棒棒糖

① 一个圆圈来帮忙

② 曲线绕圈直线长

③ 黄色涂在表面上

④ 酸酸甜甜棒棒糖

果汁

① 一个水杯里面空

② 吸管插在果汁中

③ 黄色果汁粉色管

④ 喝上一口咕咚咚

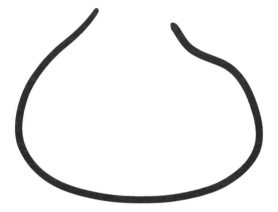

① 口袋张嘴巴

② 添上三根发

③ 黄色涂全身

④ 包子画得真

饺子

① 两头弯弯船儿小

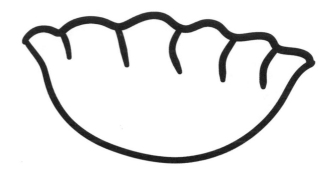

② 捏出花边手真巧

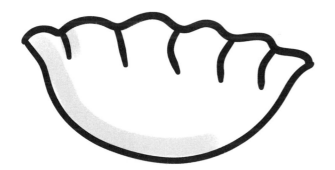

③ 黄色沿边细细涂

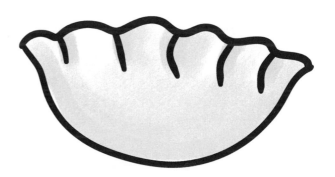

④ 涂成美味小水饺

① 细长小黄瓜

② 头尾都开花

③ 红色沿边涂

④ 味道人人夸

鸡 蛋

① 一个圆圈歪着头

② 脚下流了一滩油

③ 深黄浅黄细细涂

④ 鸡蛋营养真丰富

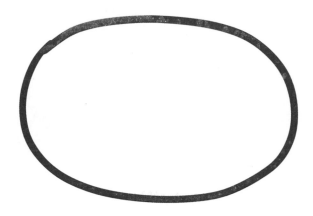

① 椭圆纸上画

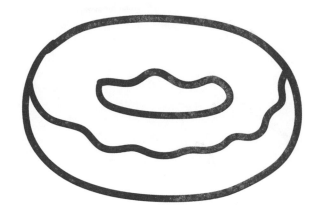

② 浪线里面加

③ 橙黄分界线

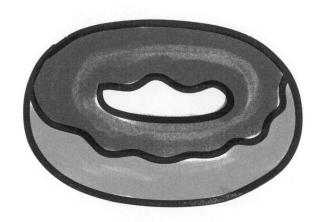

④ 营养又香甜

面包

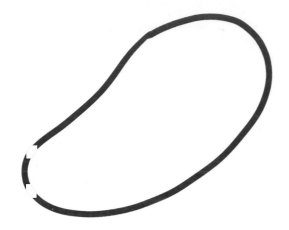

① 一块面团抻一抻

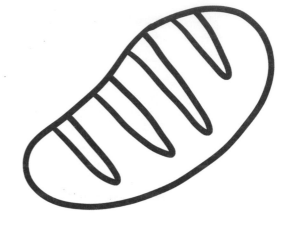

② 划上几刀不太深

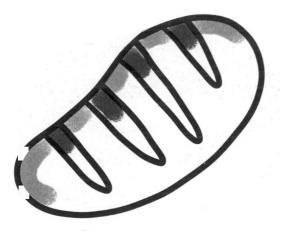

③ 橙色刀口黄色身

④ 涂成面包香喷喷

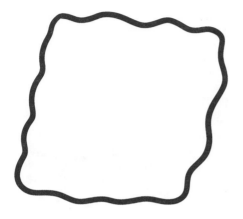

① 手绢白又白

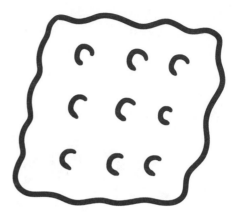

② 弯钩排三排

③ 黄色涂一遍

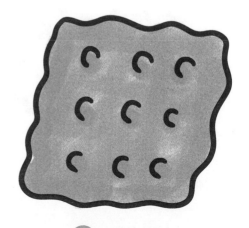

④ 变成小饼干

三明治

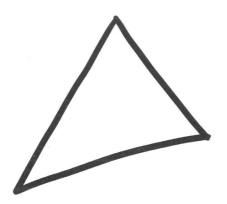

① 三个柱子把门搭

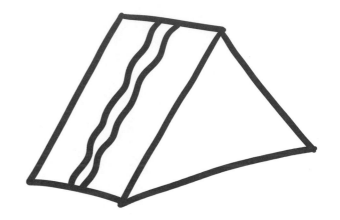

② 画成帐篷不会塌

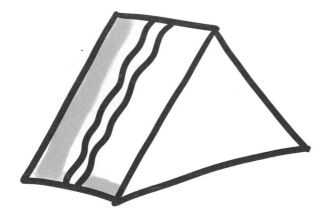

③ 帐篷面上先涂黄

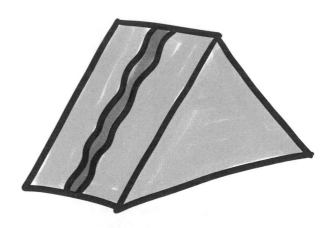

④ 绿色条纹是果酱

① 一个口袋没封口

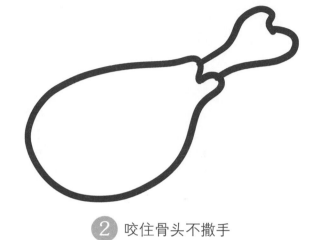

② 咬住骨头不撒手

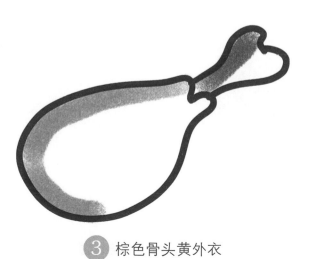

③ 棕色骨头黄外衣

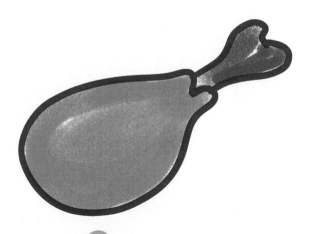

④ 鸡腿美味吃不够

汉 堡

① 一块面包撒芝麻

② 菜叶洗净中间夹

③ 黄色面包绿色叶

④ 小朋友们爱吃它

① 月牙弯弯纸上横

② 装上米饭热腾腾

③ 蓝色小碗黄色米

④ 天天吃它好身体

面条

① 一只碗，纸上画

② 曲线来把直线跨

③ 曲线涂黄碗涂蓝

④ 面条好吃又好看

① 先画一片小云朵

② 再画几笔变圆桌

③ 加上四条小竖线

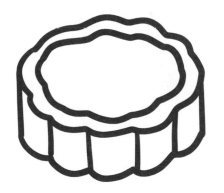

④ 一块手帕铺上面

⑤ 上面棕色下面黄

⑥ 中秋月饼甜又香

蛋糕

① 一个椭圆纸上画

② 三笔变成小圆柱

③ 下面垫上小桌布

④ 三根蜡烛上面竖

⑤ 蛋糕粉色桌布蓝

⑥ 黄色火苗别忘涂

① 一个花盆真不小

② 里面长出三棵草

③ 又冒两棵真是巧

④ 青草茂盛长得好

⑤ 红色盒子黄色草

⑥ 美味薯条嚼一嚼

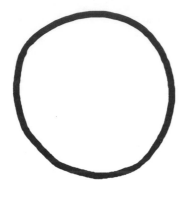

气 球

① 圆圆脑袋瓜

② 后面马尾扎

③ 沿边涂黄色

④ 气球画一个

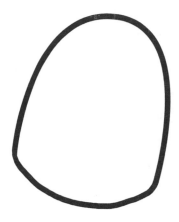

① 一个玻璃罩

② 上面娃娃笑

③ 红黄要分清

④ 涂成不倒翁

风车

① 小花朵，四个瓣

② 一根细棍撑下面

③ 红色花瓣涂一遍

④ 黄色花心在里面

① 细长身体圆脑袋

② 两边小辫真可爱

③ 红色黄色细细涂

④ 涂完变成拨浪鼓

扩音器

① 左细右粗圆脑瓜

② 几笔变成扩音器

③ 橙蓝两色涂身上

④ 扩音器儿真响亮

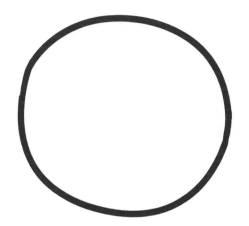

① 大圆圈，纸上画

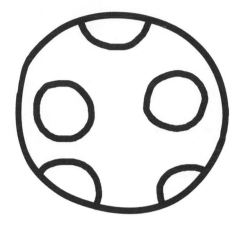

② 小圆半圆别落下

③ 红色黄色别弄混

④ 涂完皮球四下滚

积 木

① 城门开在墙中央

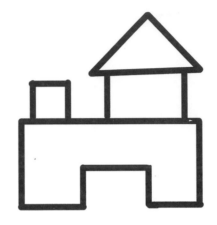
② 又有烟囱又有房

③ 红黄蓝色涂得好

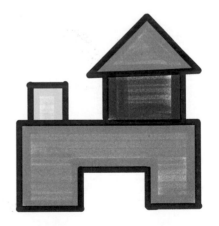
④ 积木摆成小城堡

50

① 四线连一起

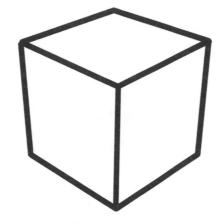

② 画出正方体

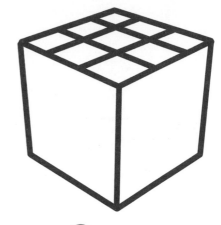

③ 上方先画格

④ 左右连一起

⑤ 红黄蓝帮忙

⑥ 涂成小魔方

水 枪

① 一笔勾勒枪形状

② 细长气囊像球棒

③ 尖尖三角放枪口

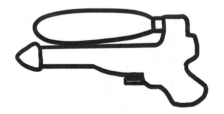

④ 扳机一笔就画上

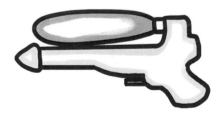

⑤ 黄色蓝色涂仔细

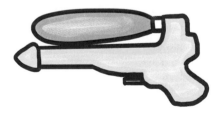

⑥ 涂成水枪真神气

① 长脸圆眼耳朵尖

② 脚踩雪橇尾巴弯

③ 卷曲毛发头上添

④ 一笔画出小马鞍

⑤ 橙色身体蓝色毛

⑥ 木马不跑只会摇

盘 子

① 一个小椭圆

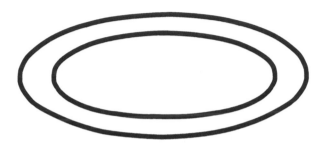

② 大圈套小圈

③ 蓝色先涂边

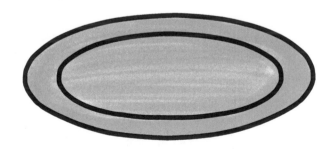

④ 里面再涂全

① 一个圆圆圈

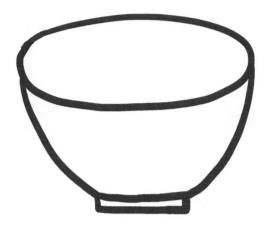

② 几笔变小碗

③ 红橙要涂清

④ 小碗亮晶晶

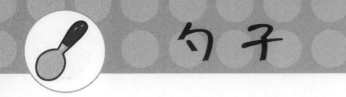

勺子

① 一个气球没扎口

② 加上木柄当把手

③ 粉色勺把蓝色勺

④ 勺子涂好瞧一瞧

① 兔子耳朵玩倒立

② 撞到树上变工具

③ 上面涂蓝下涂粉

④ 叉子用完洗仔细

 # 筷 子

① 两条直线一样长

② 两笔画成筷子样

③ 一根一根涂橙色

④ 涂完吃饭它帮忙

① 圆柱小仓房

② 小把添一旁

③ 沿边涂蓝色

④ 喝水它帮忙

水 壶

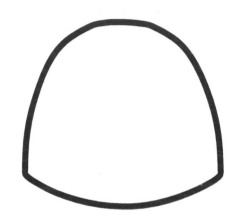

① 一个圆形玻璃罩

② 长嘴有把又带帽

③ 粉色沿边细细涂

④ 慢慢涂成小水壶

帽 子

① 馒头纸上画

② 圆盘能装下

③ 边缘要涂匀

④ 帽子红通通

短裙

① 一根木条横在前

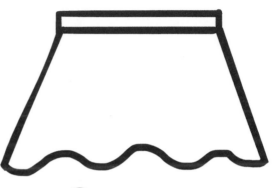

② 缀上花边小窗帘

③ 粉色沿边涂得棒

④ 变成短裙真漂亮

① 衣服轮廓先勾勒

② 小兜画在最左侧

③ 绿色沿边涂一涂

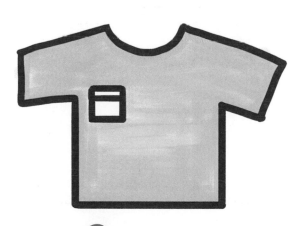

④ 小兜不涂别马虎

裤 子

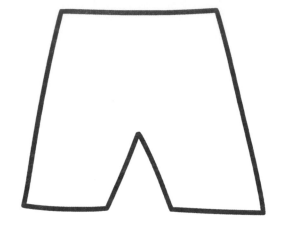

① 梯形山坡下面空

② 山顶铺路又挖洞

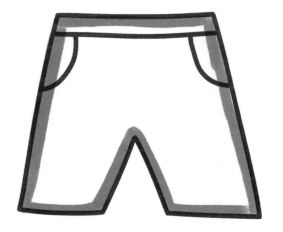

③ 绿色爬满小山坡

④ 睡前裤子别忘脱

① 曲线绘出小花边

② 沿着小手画一圈

③ 红蓝搭配颜色妙

④ 涂成温暖棉手套

袜子

① 两只鞋子轻

② 上面打补丁

③ 红色先涂面

④ 橙色涂补丁

① 两个娃娃关系好

② 一样围巾真是巧

③ 全身披着黄外衣

④ 蓝色围巾真清新

① 一对姐妹关系好

② 长腿就爱满地跑

③ 头上梳着斜刘海

④ 一笔变鞋脚下踩

⑤ 红色鞋面亮晶晶

⑥ 里面不涂要看清

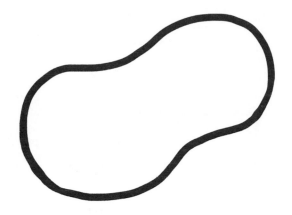

1 中间窄，两头胖

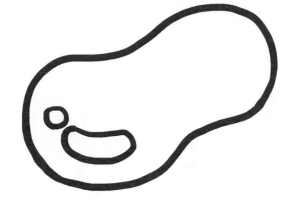

2 叹号贴着一头放

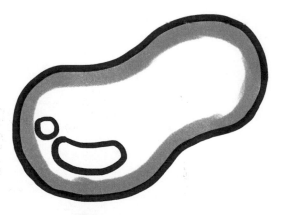

3 蓝色涂面要恰当

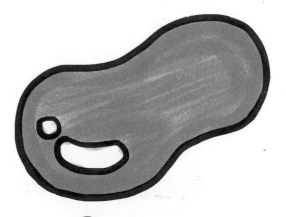

4 消灭细菌它最棒

纸抽

① 一块小手绢

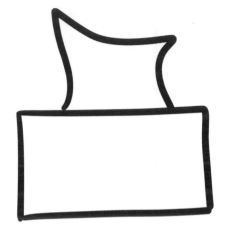

② 上面画纸片

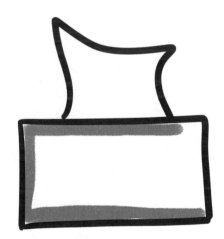

③ 盒子涂绿色

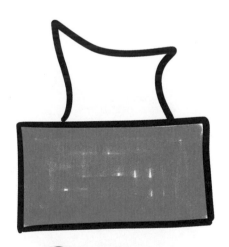

④ 纸抽变出来

① 一根木棍有"魔法"

② 添上几笔变拖把

③ 蓝色描边细细涂

④ 拖地干净真佩服

① 一片花瓣空中飘

② 上开花苞下弯钩

③ 红色沿边涂一涂

④ 涂成雨伞淋不着

扇 子

① 一个气球飘啊飘

② 小小扇形底边靠

③ 绿色绕圈仔细涂

④ 若爱清风慢慢摇

 # 钥 匙

① 画条直线带拐弯

② 接个圆圈少一边

③ 曲线弯弯连直线

④ 小小椭圆画里面

⑤ 绿色涂边很漂亮

⑥ 钥匙画好真形象

74

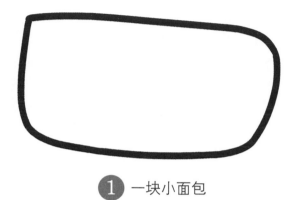

① 一块小面包

② 两笔变钱包

③ 披着粉外套

④ 黄色别忘掉

① 小小头儿大身体

② 脖子中间添一笔

③ 再添一笔描红边

④ 黄色部分别忘记

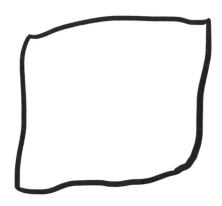

① 一面小旗迎风飘

② 心画正中花边绕

③ 红色要涂整面旗

④ 杏色心形涂仔细

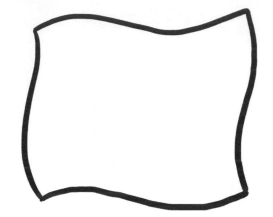

① 一块小手帕

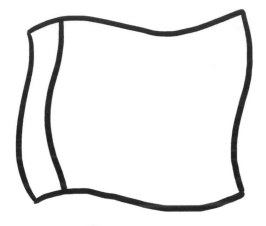

② 左边画一下

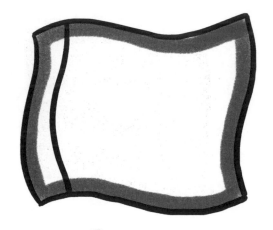

③ 红色涂边缘

④ 毛巾擦头发

① 一块手帕四个角

② 一笔枕头就画好

③ 蓝色先从边涂起

④ 枕着枕头睡觉觉

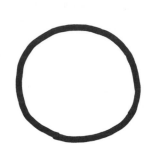

① 圆形表盘像面鼓

② 两边表带画清楚

③ 四个黑点在圆中

④ 时针分针别忘添

⑤ 表盘表带要涂黄

⑥ 涂成手表看时间

① 圆圆大脸庞

② 肥肥耳朵长

③ 双腿画两侧

④ 发立指针扬

⑤ 红黄分清楚

⑥ 涂完闹钟响

台灯

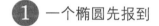

① 一个椭圆先报到

② 添上几笔画灯罩

③ 一根柱子下面撑

④ 底座画上变台灯

⑤ 灯罩橙黄底座蓝

⑥ 台灯一亮真好看

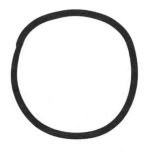

① 一个圆球画得棒

② 架子支撑站桌上

③ 上下各画一个圈

④ 添上花瓣变风扇

⑤ 花瓣涂黄身涂蓝

⑥ 蓝圈黄圈可别忘

 电 话

① 小梯形，虽不大

② 圆圈轻松能放下

③ 一座木桥上面画

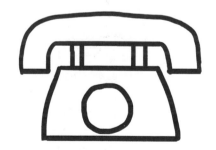

④ 全靠小棒支撑它

⑤ 红色外壳黄键盘

⑥ 画个电话并不难

① 四四方方一面墙

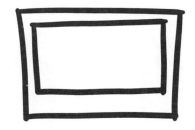

② 大大屏幕挂中央

③ 支架按钮先添上

④ 再把底座画下方

⑤ 底座墙面涂成黄

⑥ 屏幕蓝色可别忘

沙 发

1 一条曲线弯弯绕

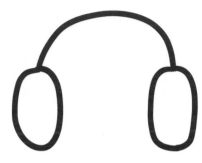

2 两边加圆变耳罩

3 再添一笔变成帽

4 帽子下面画两道

5 蓝色涂满整个帽

6 下面深蓝别忘掉

椅 子

① 四四方方地板砖

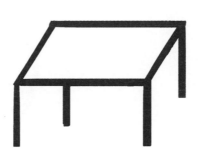

② 四根柱子撑四边

③ 长条木板立一端

④ 再画一块叠上面

⑤ 部分涂色要看清

⑥ 橙色椅子放客厅

小丑鱼

① 鸭蛋卧倒开口笑

② 鱼鳍尾巴别忘掉

③ 黄身橙尾模样俏

④ 红色小嘴吐泡泡

① 大大眼睛圆脑瓜

② 身后长着小尾巴

③ 身体尾巴都涂蓝

④ 看到妈妈游上前

鲸鱼

① 小眼大嘴怪面相

② 添上几笔变模样

③ 先把身体细细涂

④ 再涂尾巴和鳍部

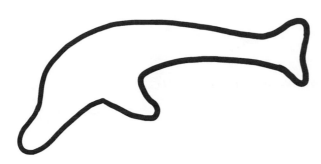

① 一气呵成画身体

② 眼睛、鱼鳍和肚皮

③ 身体涂蓝肚皮粉

④ 涂完就变小海豚

水 母

① 半圆脑袋肥嘟嘟

② 短腿弯弯却不粗

③ 涂上蓝腿黄皮肤

④ 可爱水母肉乎乎

① 小鼻子，大脸蛋

② 添上波浪和直线

③ 蓝颜色，慢慢涂

④ 小贝壳，真好看

海 星

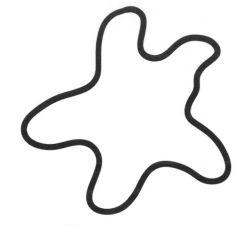

① 五角尖尖一颗星

② 身上挂满小水晶

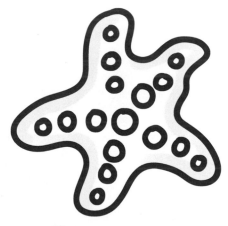

③ 先用黄色涂海星

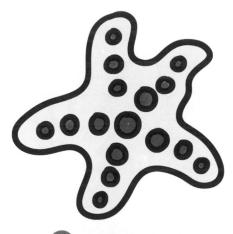

④ 再用橙色涂水晶

① 两个圆圈两个点

② 一笔连成金鱼脸

③ 画出树叶当身体

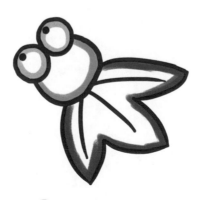

④ 添上细线才美丽

⑤ 蓝眼橙身红尾巴

⑥ 活泼可爱惹人喜

乌龟

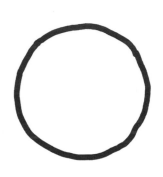 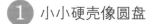

① 小小硬壳像圆盘

② 头和前脚画上边

③ 脚、尾、眼睛补齐全

④ 添上花纹才好看

⑤ 硬壳涂绿其他黄

⑥ 乌龟走路不着忙

① 一双眼睛四下瞧

② 身体方方嘴巴小

③ 挥舞大钳爱打架

④ 八只小爪横着爬

⑤ 钳儿红来壳儿红

⑥ 身穿红袍逞英雄

海 马

① 小秤钩，倒着挂

② 细长鼻子圆脸蛋

③ 一笔肚子尾巴现

④ 牙齿长在背后面

⑤ 涂黄色，描黄边

⑥ 小小海马真好看

小小脑瓜圆鼓鼓

 两只小手在跳舞

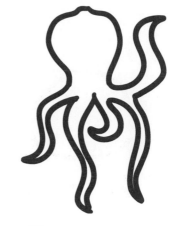 三只小手又伸出

① 小小脑瓜圆鼓鼓

② 两只小手在跳舞

③ 三只小手又伸出

④ 大眼粗眉傻乎乎

⑤ 粉色先从边缘涂

⑥ 我画章鱼不马虎

毛毛虫

① 一个大圆圈

② 后面连一串

③ 绿色涂一涂

④ 虫儿就出现

① 圆头细肚大翅膀

② 一边两笔变了样

③ 翅膀涂红肚涂黄

④ 大花蝴蝶真漂亮

蜻蜓

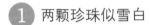

① 两颗珍珠似雪白

② 一条细线穿起来

③ 细细尾巴身上接

④ 两对翅膀两边贴

⑤ 蓝翅红身多可爱

⑥ 飞来飞去真自在

瓢 虫

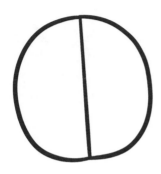

① 大圆被线分两半

② 短线小圆来霸占

③ 小圆棕色大圆红

④ 我画瓢虫最好看

103

蚂蚁

① 一颗大鸡蛋

② 项圈戴下面

③ 连着长鹅蛋

④ 画上点和线

⑤ 先从一边涂

⑥ 蚂蚁画清楚

① 一个脑袋溜溜圆

② 短短身体有个尖

③ 两对翅膀身后放

④ 两只触角在头前

⑤ 身上有橙又有黄

⑥ 涂完颜色真漂亮

猫头鹰

① 一只杯子两个把儿

② 大大眼睛头上画

③ 两撮羽毛一张嘴

④ 小小脚丫长尾巴

⑤ 身体尾巴涂棕色

⑥ 杏色黄色可别落

孔 雀

① 尖尖角，一笔画

② 半圆扇子身后架

③ 四线一点两直角

④ 添上羽毛就能跑

⑤ 先把紫色慢慢涂

⑥ 再加黄色孔雀俏

天鹅

① 一笔把"2"给抻长

② 扁嘴高额胖肚囊

③ 细长曲线画身旁

④ 圆点小眼大翅膀

⑤ 黄色紫色分仔细

⑥ 这只天鹅真神气

 先画一颗大花生

 再画尖嘴小眼睛

 画完脑袋画翅膀

 加上尾巴才像样

 先涂黄色后涂蓝

 红红嘴巴最后点

大雁

① 头小身大一笔画

② 点上眼睛笑哈哈

③ 小脚支撑胖身体

④ 画出翅膀就飞起

⑤ 黄身蓝翅细细涂

⑥ 一笔一笔不马虎

① 弯钩嘴，纸上画

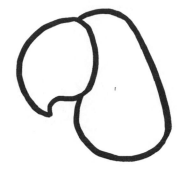

② 脑袋身子一笔下

③ 尖尖翅膀长尾巴

④ 翎毛、眼、腿都别落

⑤ 蓝嘴蓝尾抢先涂

⑥ 红身黄翅变鹦鹉

乌 鸦

① 尖尖嘴巴放一边

② 尾巴翘起翅膀扇

③ 画完眼睛添两笔

④ 双腿直立回窝里

⑤ 黑色羽毛黄嘴巴

⑥ 穿上红靴亮闪闪

① 大鹅蛋，张小口

② 两边尖尖小短手

③ 小眼扁嘴大肚皮

④ 一腿翘来一腿立

⑤ 黄嘴黄鞋穿蓝衣

⑥ 小小企鹅最美丽

113

鸭 子

① 小身子，大脑瓜

② 小脚圆眼扁嘴巴

③ 嘴脚涂橙身涂黄

④ 鸭子游泳本领强

① 不大不小一土豆

② 发完芽来又长痘

③ 画个椭圆不封口

④ 添上俩腿就能走

⑤ 红嘴黄衣慢慢涂

⑥ 涂成小鸡叫"唧唧"

大公鸡

① 先画脑袋和身体

② 眼嘴鸡冠要牢记

③ 半圆翅膀小短腿

④ 蓬松尾巴要翘起

⑤ 黄身红冠真神气

⑥ 橙色翅膀别忘记

① 一条直线把腰弯

② 一头尖尖一头圆

③ 六根胡须豆子眼

④ 尾巴细长耳朵圆

⑤ 身体全部都涂蓝

⑥ 小小老鼠就出现

 兔 子

① 小树迎风把头低

② 又来一棵头点地

③ 画个半圆接上去

④ 短尾小眼胖身体

⑤ 黄色先从边缘涂

⑥ 涂完小兔最美丽

① 一个圆圈两三角

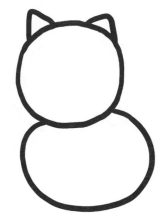

② 画个肚子一边倒

③ 两撇胡须五官全

④ 尾巴画在最右边

⑤ 黄色勾边细细描

⑥ 小猫一叫"喵喵喵"

① 大头长耳小鼻尖

② 身体铃铛画一边

③ 点上眼睛画出嘴

④ 身后加个月牙尾

⑤ 全身黄色从耳起

⑥ 鼻棕铃红要牢记

① 鼻孔大，眼睛小

② 小头圆耳尖尖角

③ 身体滚圆腿儿短

④ 肚子和腿一条线

⑤ 黄鼻蓝身一片片

⑥ 这头奶牛真好看

绵 羊

① 先画一朵棉花糖

② 再加几笔变小羊

③ 身体长成云朵状

④ 四只小蹄在中央

⑤ 一笔一笔慢慢涂

⑥ 蹄子耳朵不马虎

① 小树杈，尖尖角

② 两笔画出身和脑

③ 眼睛大大鼻子小

④ 长毛短尾腿能跑

⑤ 身体涂橙嘴涂黄

⑥ 我画毛驴本领强

大象头

① 一个圆圈不封口

② 加个鼻子像漏斗

③ 扇子耳朵两边露

④ 两只眼睛像小豆

⑤ 蓝色用来涂大象

⑥ 画完大象你真棒

① 鼻头圆圆耳朵尖

② 眼睛小小身体纤

③ 四条短腿分两旁

④ 画上尾巴更不凡

⑤ 灰色勾勒换新装

⑥ 棕鼻红嘴大灰狼

长颈鹿

① 一只长靴纸上画

② 又长叶子又发芽

③ 鞋底四只小棍架

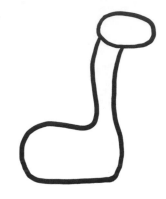

④ 好多圆斑鞋面挂

⑤ 先把黄色描仔细

⑥ 再把红色涂上去

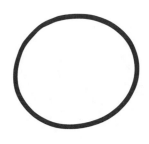

① 圆圆滚滚一个瓜

② 穿着衣服戴头花

③ 伸出胳膊和双腿

④ 画上眼鼻和小嘴

⑤ 耳朵四肢要涂上

⑥ 眼睛千万不能忘

猴 子

① 一朵白云遮太阳

② 刷刷几笔变猴王

③ 小小身体四肢长

④ 细细尾巴身后藏

⑤ 橙色身体黄脸颊

⑥ 红嘴橙尾别丢下

① 圆圆滚滚小雪球

② 眼睛鼻子上面留

③ 身体四肢一起画

④ 扇形耳朵不能落

⑤ 皮肤颜色都一样

⑥ 棕色鼻子最闪亮

狮 子

① 脑袋大，耳朵圆

② 脸蛋卷发都补全

③ 身子和腿一起画

④ 细长尾巴别落下

⑤ 卷发身体分开涂

⑥ 三种颜色分清楚

① 圆圆脑袋小耳朵

② 大大身体小细脖

③ 王字描好画五官

④ 添上尾巴再出山

⑤ 身体涂成深黄色

⑥ 棕色鼻子最显赫

骆驼

1 一对驼峰高又大

2 长耳长嘴小脑瓜

3 四只细腿大肚皮

4 画上眉眼、小脚和尾巴

5 橙色涂边要放慢

6 涂完颜色真好看

斑 马

① 眼睛小小嘴巴长

② 再画几笔变模样

③ 耳朵、棕毛和尾巴

④ 黑色条条是衣裳

⑤ 嘴巴条纹先涂上

⑥ 黑白相间真漂亮

帆船

① 小雨伞，倒着放

② 两面小旗添把儿上

③ 伞涂蓝，旗涂粉

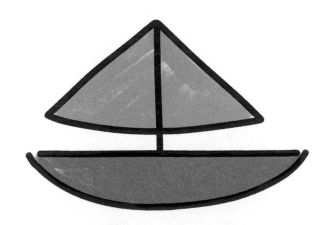

④ 扬起风帆入海洋

热气球

① 大圆球，一笔成

② 里面没水可不行

③ 头重脚轻三柱撑

④ 吊个篮子很轻松

⑤ 红黄相间涂仔细

⑥ 涂满飞到天空去

135

小汽车

① 大蛋糕，切一半

② 厚厚奶油扣上边

③ 插上两根小蜡烛

④ 美味水果看得见

⑤ 蓝色粉色要涂好

⑥ 涂完汽车满街跑

① 河上架小桥

② 底下开水槽

③ 轮子先描上

④ 警车画得棒

⑤ 黄轮蓝车身

⑥ 红灯眨眼睛

救护车

① 两笔画顶大圆帽

② 添上轮子就想跑

③ 头上戴着大眼罩

④ 十字车灯都画好

⑤ 车身涂蓝模样俏

⑥ 其他涂红别忘掉

① 一顶厚帽子

② 帽上开口子

③ 画出两轮子

④ 几笔变车子

⑤ 蓝身红轮子

⑥ 吉普车在此

自行车

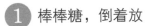

① 棒棒糖，倒着放

② 一个三角中间藏

③ 弯钩车把三角座

④ 大T倒立皮筋长

⑤ 蓝色描边涂得棒

⑥ 自行车上把歌唱

1 长方形，四条线

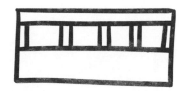

2 梯子横着放里面

3 前后各添一半圆

4 弯钩大T要画全

5 两种颜色有界限

6 涂得分明才好看

火 车

① 四四方方火车头

② 车前车后两线留

③ 画上车窗两条线

④ 再添几笔火车现

⑤ 蓝色车身要涂清

⑥ 黄色车窗亮晶晶

① 高高一座山

② 一条山道弯

③ 山顶有条道

④ 山下俩土包

⑤ 颜色涂得清

⑥ 飞船上天空

火 箭

① 三角形，先画起

② 两竖一横变铅笔

③ 一边一个小三角

④ 再加几笔尾巴翘

⑤ 黄色红色分清楚

⑥ 火箭升空"突突突"

144

① 一个小水瓢

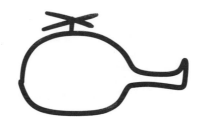

② 头上长棵草

③ 脚下踩雪橇

④ 脸上蒙眼罩

⑤ 窗蓝外衣黄

⑥ 直升机飞翔

 客机

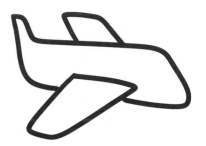

① 尖头翘尾空肚囊

② 一对翅膀分两旁

③ 蒙上面罩向前冲

④ 一笔画在面罩中

⑤ 蓝色边缘先勾勒

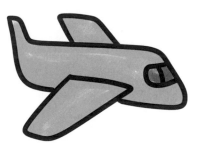

⑥ 再把面罩涂粉色

① 瓜瓢头发真好看

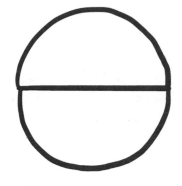

② 弯弯月牙小脸蛋

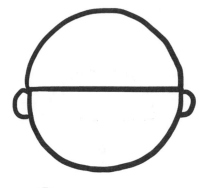

③ 圆圆耳朵在两边

④ 小嘴弯眉圆圆眼

⑤ 肉色皮肤橙色发

⑥ 男孩勇敢不害怕

 喜欢梳着齐刘海

 两根小辫甩一甩

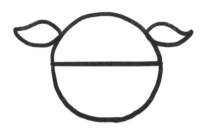 圆圆胖胖小脸庞

 弯眉圆眼嘴角扬

 肉色皮肤深黄发

 漂亮女孩人人夸

① 先画头发梳两旁

② 下边脸蛋方又长

③ 一对耳朵两边藏

④ 大鼻小眼嘴角扬

⑤ 肉色皮肤棕头发

⑥ 红色别忘涂嘴巴

149

阿 姨

① 椭圆脸庞一边尖

② 卷曲头发画半圈

③ 眉毛眼睛画上面

④ 鼻子嘴巴在下边

⑤ 肉色皮肤红头发

⑥ 漂亮阿姨像妈妈

① 一棵白菜土里栽

② 两片叶儿舒展开

③ 三条细纹刻脑门

④ 添上五官画老人

⑤ 肉色皮肤蓝眼镜

⑥ 浅蓝头发要涂清

奶 奶

① 卷曲头发像皮筋

② 圆圆脸蛋真可亲

③ 眉毛舒展笑嘻嘻

④ 镜片下面眼睛眯

⑤ 黄色头发蓝眼镜

⑥ 肉色皮肤要涂清

① 长长弯弯一条线

② 再来一条月亮现

③ 边缘黄色涂一遍

④ 最后别忘涂里面

星星

 十个黑点先画好

 沿点连线画五角

 沿边黄色涂得清

 涂成星星亮晶晶

太阳

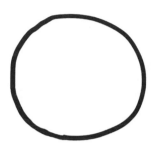
① 大圆圈，纸上画

② 十根银针身上挂

③ 红色先从边缘涂

④ 涂完太阳笑哈哈

小溪

① 一条曲线两道弯

② 再画一条放右边

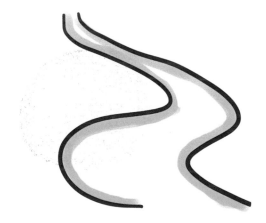

③ 绿色慢慢涂仔细

④ 小溪弯弯真美丽

小　山

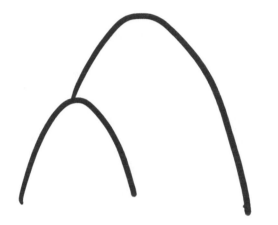

① 一大一小两弧线

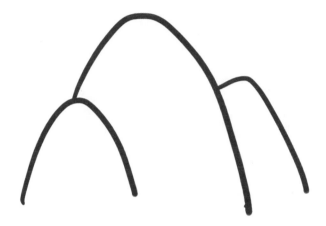

② 弯弯一笔画右边

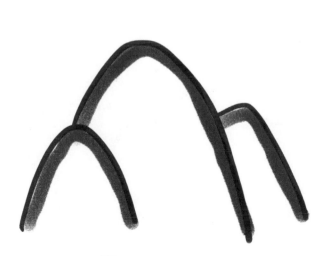

③ 棕色沿着山边涂

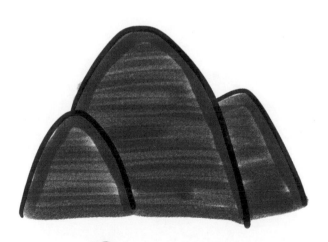

④ 三座小山纸上现

乌 云

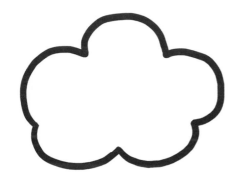

① 棉花糖，画中间

② 再画一块少半边

③ 先从边缘涂灰色

④ 灰色涂满乌云现

① 先画云一朵

② 雨滴成群落

③ 云朵先涂蓝

④ 雨滴后涂完

159

雪花

① 三根树枝搭一起

② 树枝发芽变雪花

③ 先从树枝涂蓝色

④ 涂满雪花就落下

① 一座拱桥架中间

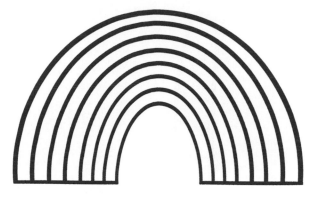

② 六条弧线画里边

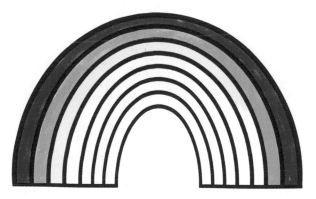

③ 七种颜色涂仔细

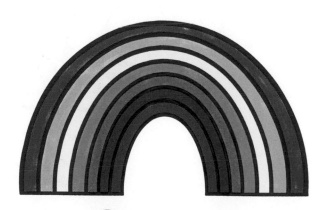

④ 涂成彩虹真美丽

竹 子

① 一个梯子六道杠

② 尖尖细叶画两旁

③ 黄色枝干长绿叶

④ 涂完竹子真漂亮

① 宝塔立当中

② 柱子把它撑

③ 绿色先涂边

④ 涂满变青松

杨 树

1 一个小树叉

2 长出卷头发

3 绿叶棕树干

4 杨树纸上画

柳 树

① 先画树干大张口

② 三枝树杈像小手

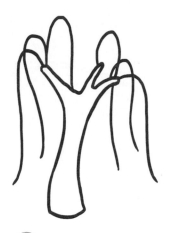

③ 几条柳枝树上挂

④ 柳叶弯弯别忘画

⑤ 棕色树干涂仔细

⑥ 绿色叶子别忘记

椰子树

① 月牙细叶画两旁

② 两颗椰果像蛋黄

③ 画根树干粗又长

④ 一头扎到圆圈上

⑤ 绿黄棕色涂三处

⑥ 涂完变成椰子树

① 一把弯刀头尖尖

② 再画一把放右边

③ 中间一串小葡萄

④ 顶上长出小毛毛

⑤ 深黄浅黄都涂上

⑥ 小麦弯弯随风扬

玉 米

① 胡须一撇画得妙

② 再来一撇两边翘

③ 圆圆身体中间冒

④ 头顶三毛格外套

⑤ 黄身绿衣模样俏

⑥ 涂完玉米哈哈笑

① 三朵花瓣先画上

② 再添七瓣变模样

③ 粉色沿边涂仔细

④ 大朵荷花真美丽

玫 瑰

① 一气呵成画花朵

② 小小细棍下面托

③ 右边叶子画一片

④ 再添一片模样现

⑤ 红色花朵绿叶配

⑥ 娇艳欲滴是玫瑰

牵牛花

① 一朵云，空中飘

② 下面长叶静悄悄

③ 细长花茎连得妙

④ 花心张嘴对我笑

⑤ 绿色花叶紫花瓣

⑥ 牵牛花儿生得俏

向日葵

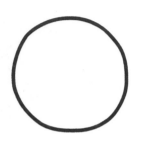

① 纸上画个圆

② 花瓣围一圈

③ 方格画中间

④ 花茎打着弯

⑤ 橙黄有界限

⑥ 涂匀才好看

① 一条马路没有头

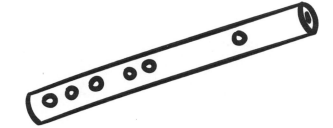

② 种完豆子再封口

③ 一笔一笔涂清楚

④ 涂满笛子就演奏

唢 呐

① 椭圆里面加条线

② 一根小棍在后面

③ 尖尖小帽带头上

④ 几颗扣子装身上

⑤ 颜色涂好要分清

⑥ 唢呐一吹真好听

① 纸上画个椭圆形

② 加上一笔变双层

③ 下面放个桶支撑

④ 没有小棒可不行

⑤ 红色黄色涂清楚

⑥ 变成一只小响鼓

① 一个葫芦张大口

② 咬住薯条就不走

③ 薯条咬断丝相连

④ 再添几笔模样现

⑤ 橙色慢慢涂边缘

⑥ 漂亮提琴看得见

① 一个小滑板

② 尾部画条线

③ 上面三个圈

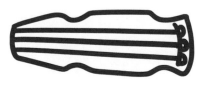

④ 身上三条线

⑤ 黄色慢慢涂

⑥ 古筝看得见

手风琴

① 先画两个长方形

② 再加两条波浪线

③ 三条直线隔中间

④ 一边短线一边点

⑤ 绿色先从边缘涂

⑥ 手风琴儿真好看

① 先画一块小木片

② 木片侧面有张板

③ 里面再加一张床

④ 凳子就在小床旁

⑤ 从外到内涂颜色

⑥ 紫色钢琴真漂亮

拱桥

① 一道彩虹挂天边

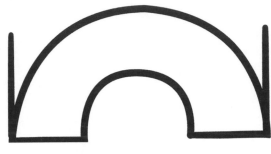

② 两头生出小线线

③ 上面再加一道虹

④ 涂完红色拱桥现

① 两把扇子水上漂

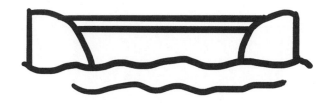

② 一树横在正中腰

③ 扇形涂紫树涂黄

④ 涂完变成独木桥

平 房

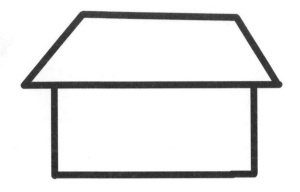

① 梯形头发长方脸

② 方眼圆嘴齐刘海

③ 蓝眼黄嘴红脸蛋

④ 这座平房真好看

铁 塔

① 一个梯形孤零零

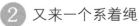

② 又来一个系着绳

③ 三角也来凑热闹

④ 头顶小帽张嘴笑

⑤ 细描慢涂方法妙

⑥ 黄色铁塔来报到

教堂

① 三角形，头尖尖

② 长方形，放下边

③ 拱形一笔分两半

④ 十字田字画上面

⑤ 先从边缘细细涂

⑥ 美丽教堂就出现

高 楼

① 正方形，并不大

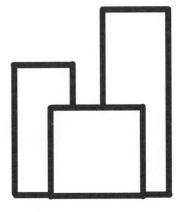

② 一高一矮来护驾

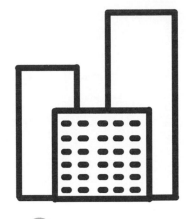

③ 一点一点画新装

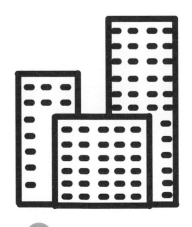

④ 后面哥俩紧跟上

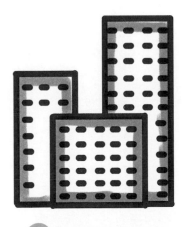

⑤ 涂色不忘看边框

⑥ 蓝色涂满真漂亮

图书在版编目（CIP）数据

趣味分步学画大全 / 晨风童书编委会编著 . -- 长春：
长春出版社，2015.12
（儿童易学实用美术手工丛书）
ISBN 978-7-5445-4162-6

Ⅰ．①趣… Ⅱ．①晨… Ⅲ．①绘画技法—儿童读物
Ⅳ．① J21-49

中国版本图书馆 CIP 数据核字（2015）第 262118 号

 趣味**分步学画**大全

著　　者：	晨风童书编委会	
责任编辑：	郭鼎民	
封面设计：	杨　洋	

出版发行	**长春出版社**	总编室电话：0431—88563443
	吉林银声音像出版社有限公司	发行部电话：0431—81798066
地　　址：	吉林省长春市建设街 1377 号	
邮　　编：	130061	
网　　站：	www.cccbs.net	
制　　版：	晨风童书	
印　　刷：	长春市彩聚印务有限责任公司印装	
经　　销：	全国各地新华书店	

开　　本：	889 毫米 ×1194 毫米　　1/24
字　　数：	20 千字
印　　张：	8
版　　次：	2016 年 4 月第 1 版
印　　次：	2019 年 6 月第 15 次印刷
定　　价：	19.80 元